maxi
kézako 5

Textes de Philippe Nessmann
Illustrations de Peter Allen

MANGO *JEUNESSE*

Collection dirigée par Philippe Nessmann

Textes : Philippe Nessmann, sauf p. 76-77 (Élisabeth de Lambilly-Bresson)
Iconographie : Véronique Masini / ÉcoutezVoir, Sidonie Reboul et Anna Blum
Maquette : Studio Mango
Mise en couleurs : Axel Renaux (Les aimants)

© 2010 Mango Jeunesse
Loi n° 49-956 du 16 juillet 1949 sur les publications destinées à la jeunesse
Dépôt légal : février 2011
ISBN : 978 2 7404 2811 5
N° d'édition : M11011-01- MDS : 60393
Photogravure : Turquoise

❀ Imprimé en Chine par Book Partners en novembre 2010

maxi
kézako 5

Sommaire

Le son

La musique de la radio, les discussions entre copains, le klaxon des voitures, le sifflet de l'arbitre au stade, les cris dans la cour de l'école... Nous vivons entourés de bruits. Mais comment se forment les sons ? Comment fonctionnent nos oreilles ? Réalise les expériences qui suivent, et cet étonnant phénomène n'aura plus de secrets pour toi.

UN SON, C'EST QUOI ?

Tralala tzing boum ! Un musicien frotte les cordes de son violon : elles frémissent et donnent des notes. Un autre tape sur la peau de son tambour : elle tremble et résonne. Un troisième souffle dans sa clarinette : l'anche vibre et siffle. Et la chanteuse, comment produit-elle des sons ?

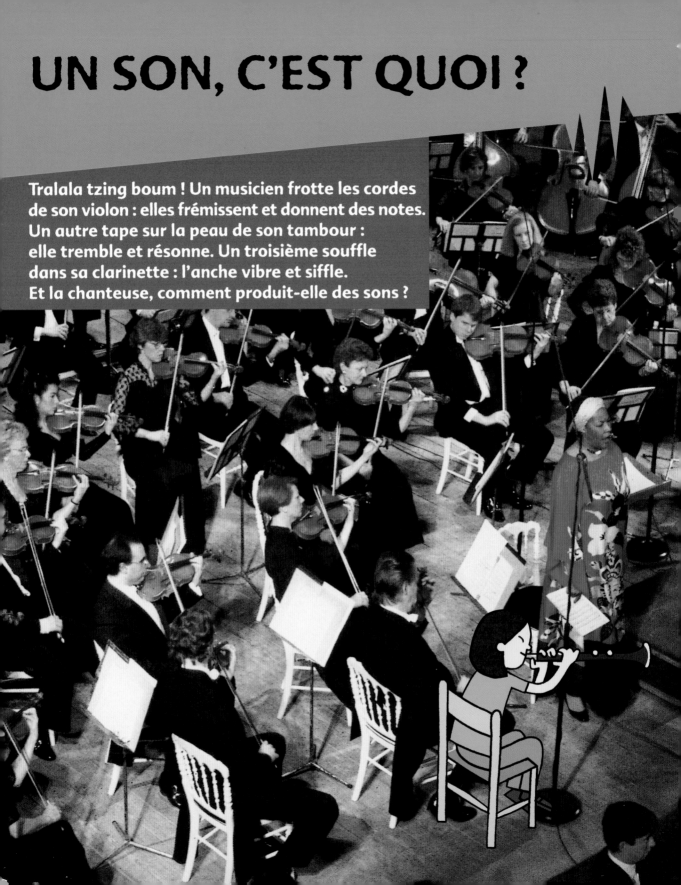

Il te faut :
• une main
• un cou (ta main et ton cou iront très bien !)

1 Pose ta main sur ton cou. Inspire fortement. Expire longuement par la bouche, comme si tu soufflais une bougie. Sens-tu quelque chose dans ta main ?

2 Inspire à nouveau. Cette fois, prononce longuement une voyelle, par exemple « Ooooooh ». Sens-tu une différence ?

oooooh!

Une autre expérience

Tiens un couvercle de casserole en fer. Avec une cuillère en bois, tape dessus pour le faire résonner. Puis pose doucement ta main dessus. Tu peux sentir les vibrations. Lorsqu'elles cessent, le bruit de cymbale s'arrête aussi.

Lorsque tu souffles, tu ne ressens pas grand-chose. En revanche, quand tu dis « Oooh », ta gorge tremble. Ces tremblements s'appellent des vibrations. D'où viennent-elles ? À l'intérieur de ta gorge se trouvent les cordes vocales. Lorsque tu veux parler, elles se mettent à vibrer et produisent des sons. C'est ce phénomène que tu ressens dans ta main. Comme ta voix, tous les bruits que tu entends sont des vibrations : le bourdonnement d'une abeille, le tic-tac d'une montre, le bruit d'une machine à laver…

DES BRUITS DANS L'AIR

Quand tu jettes un caillou dans l'eau, une petite vague apparaît. Pour les sons, c'est identique : si un livre tombe par terre, une « vague » invisible se forme dans l'air qui l'entoure. Cette onde grandit ensuite autour du livre, un peu comme une bulle qui gonfle. Lorsqu'elle atteint ton oreille, tu entends le bruit du livre par terre. Vlan !

splash !

Le sais-tu ?
Dans l'air, les sons se déplacent à la vitesse d'un avion de chasse : environ 1200 kilomètres par heure. C'est rapide, mais pas un record : la lumière va beaucoup plus vite que cela. C'est pourquoi, pendant un orage, on voit d'abord la lumière de l'éclair puis seulement on entend le coup du tonnerre.

Fais danser une bougie !

Il te faut :
- une bougie et des allumettes
- une chaîne stéréo
- des livres
- un adulte

1 Empile les livres pour qu'ils arrivent à la hauteur d'un haut-parleur de la chaîne stéréo. Pose la bougie sur les livres. Elle doit se trouver cinq centimètres devant le haut-parleur.

2 Demande à un adulte d'allumer la bougie et la chaîne.

3 Monte le volume jusqu'à voir la bougie danser !

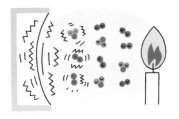

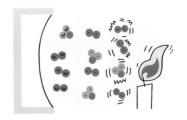

Les bruits sont des vibrations : pose ta main sur le haut-parleur pour les sentir ! Lorsque la membrane du haut-parleur fait un va-et-vient, elle déplace l'air qui est devant elle. Bousculés, les petits grains d'air font eux aussi un va-et-vient. Et, à leur tour, ils bousculent les grains d'air qui se trouvent un peu plus loin. De grains en grains, la vibration se propage dans l'air, à la manière d'une chaîne de dominos. Lorsque les grains d'air qui entourent la bougie vibrent, ils font bouger la flamme.

Pour entendre un son, il faut trois éléments.
D'abord, une source de bruits : une guitare, une fête foraine,
un immeuble en construction... Ensuite, pour que le bruit
voyage jusqu'à ton oreille, il lui faut un support : de l'air,
de l'eau... Enfin, il te faut des oreilles. Mais au fait,
comment fonctionnent-elles ?

Fais sautiller du sucre sans le toucher !

1 Découpe un morceau de film alimentaire. Recouvre entièrement le bol et tends au maximum le film.

Il te faut :
- un bol
- du film alimentaire en plastique
- du sucre en poudre
- une poêle
- une cuillère en bois

2 Saupoudre le film avec quelques grains de sucre.

3 Approche la poêle et tape dessus avec la cuillère en bois. Que fait le sucre ?

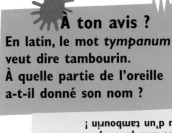

À ton avis ?
En latin, le mot *tympanum* veut dire tambourin. À quelle partie de l'oreille a-t-il donné son nom ?

Au tympan, qui est la fine membrane de peau au fond de nos oreilles. On l'a baptisé ainsi parce qu'il ressemble à la peau d'un tambourin !

Les grains de sucre se mettent à danser ! Quand tu tapes sur la poêle, elle vibre. Ces vibrations se propagent ensuite dans l'air. Lorsqu'elles parviennent au film plastique, elles le font vibrer : tu peux le vérifier grâce au sucre, qui sautille. Au fond de ton oreille, il y a une fine membrane de peau appelée tympan. Lorsqu'un bruit arrive, il la fait vibrer. Grâce à des petits os et à l'oreille interne, ces informations arrivent ensuite jusqu'au cerveau, qui reconstitue le son.

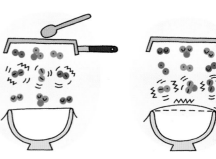

COMME UN SON DANS L'EAU

Les dauphins sont des animaux très intelligents.
Grâce à leurs petits cris, ils parviennent à communiquer
entre eux. Pourtant, le plus souvent, ils ont la tête sous l'eau.
Cela veut-il dire que, même sous l'eau, on entend les sons ?

Il te faut :
- deux ballons gonflables
- de l'eau
- une table

1 Demande à un adulte de remplir un ballon d'air, et l'autre d'eau tiède.

2 Place les ballons sur une table. Pose ton oreille sur celui rempli d'eau.

3 Avec une main, bouche-toi l'autre oreille. Avec la deuxième main, tapote sous la table. Entends-tu le bruit ?

Le sais-tu ?
Dans l'eau, les sons voyagent plus loin que dans l'air. Lorsqu'une baleine bleue siffle, son chant s'entend jusqu'à 800 kilomètres. C'est comme si, à Marseille, on entendait les sirènes des pompiers de Paris...

4 Recommence l'expérience avec le ballon rempli d'air. Avec quel ballon entends-tu mieux le bruit ?

Tu entends le mieux avec le ballon rempli d'eau. Pourquoi ? Tu sais déjà qu'un son est une vibration : lorsque tu tapotes sous la table, elle vibre. Pour arriver à ton oreille, cette vibration doit traverser le ballon. Dans celui rempli d'eau, les grains d'eau sont très proches les uns des autres. Les vibrations passent donc plus facilement d'un grain à l'autre. Dans celui rempli d'air, les grains d'air sont plus éloignés. Les vibrations voyagent moins bien. Voilà pourquoi les sons se propagent mieux dans l'eau que dans l'air.

CONDUCTEUR OU ISOLANT

Dans les westerns, avant d'attaquer un train, les Indiens posent leur oreille sur le rail pour savoir si le convoi arrive. En effet, les sons voyagent très bien dans le fer : même quand le train est encore très loin, on l'entend déjà dans le rail. Bien sûr, il ne faut surtout pas essayer de faire cela en vrai : c'est très dangereux !

Il te faut :
- une montre
  qui fait tic-tac
- un balai
- un rouleau de papier
  essuie-tout
- du ruban adhésif

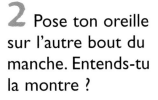

1 Découpe un morceau de ruban adhésif. Pose le dessous de la montre sur l'un des bouts du manche à balai. Scotche-les solidement.

tic!
tac!

2 Pose ton oreille sur l'autre bout du manche. Entends-tu la montre ?

Vrai ou faux ?
Sur la Lune, il est impossible d'entendre des sons.

Vrai. Pour voyager, les sons ont besoin d'un support conducteur : de l'air, de l'eau, du fer... Autour de la Lune, c'est le vide. Si une fusée atterrit à trois mètres d'un astronaute, il ne l'entendra pas !

3 Recommence en scotchant la montre sur le rouleau de papier essuie-tout. Entends-tu la montre dans le papier ?

Le balai est très long : pourtant, tu entends très bien le tic-tac de la montre. Le rouleau de papier est tout petit, mais tu n'entends plus le tic-tac. C'est parce que le manche est fabriqué dans une matière dense et conductrice : en bois, en fer ou en plastique.
Dans ces matériaux, les sons voyagent bien : les vibrations de la montre passent facilement d'un grain de matière à l'autre. Le papier, lui, est mou et isolant : les vibrations sont absorbées et le son n'arrive pas jusqu'à toi.

IL Y A DE L'ÉCHO !

Pour attraper un papillon en pleine nuit,
cette chauve-souris n'utilise pas ses yeux.
Elle pousse des cris si aigus qu'on ne
les entend pas : ce sont les ultrasons.
Si un insecte se trouve devant elle,
un écho lui revient, comme quand on crie
devant une montagne. Grâce à
ses grandes oreilles, elle entend cet écho

Il te faut :
- deux magazines
- une montre qui fait tic-tac
- du ruban adhésif
- une casserole
- deux verres

1 Découpe des morceaux de ruban adhésif. Roule chaque magazine pour en faire un tube. Puis scotche-les.

2 Pose les deux verres au bord d'une table. Pose un tube sur chaque verre, comme sur le dessin. Glisse la montre dans l'un des tubes.

3 Écoute dans l'autre tube. Demande à quelqu'un de tenir la casserole au bout des tubes. Écoute bien : avec la casserole, tu entends mieux le « tic-tac ».

4 Ferme les yeux. Juste avec ton oreille, tu dois pouvoir dire si la casserole est devant les tubes.

Le sais-tu ?

Pour voir un bébé dans le ventre de sa maman, on utilise des échos. On passe sur le ventre un petit appareil qui envoie des ultrasons. Ils rebondissent sur le corps du bébé. L'écho est recueilli et se transforme en image : c'est l'échographie.

Les sons rebondissent sur les objets, un peu comme des ballons sur le sol. Lorsque la casserole est placée au bout des tubes, le « tic-tac » passe dans le premier tube, rebondit sur la casserole, puis entre dans le second tube jusqu'à ton oreille. Tu entends parfaitement l'écho. Sans la casserole, le « tic-tac » passe dans le premier tube, mais il ne peut plus rebondir. Il n'y a plus d'écho. C'est grâce à ce système que la chauve-souris perçoit ce qu'il y a devant elle.

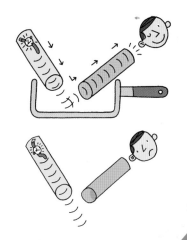

GRAVES ET AIGUS

Comment reconnaître, les yeux fermés, si un chanteur est un homme ou une femme ? Facile ! En général, les hommes ont une voix plus grave (basse) et les femmes une voix plus aiguë (haute). Mais sais-tu pourquoi ?

Il te faut :
• une règle
• une table

1 Pose la règle au bord de la table pour qu'elle dépasse. Avec une main, appuie fortement dessus pour la maintenir.

2 Avec l'autre main, pousse le bout qui dépasse puis relâche-le. Entends-tu le son ?

Une autre expérience
Prends trois verres identiques. Remplis le premier d'eau. Remplis le second à moitié. Laisse vide le troisième. Avec une petite cuillère, tape doucement sur chaque verre. Lequel donne le son le plus aigu ? Et le plus grave ?

3 Rallonge le bout qui dépasse et recommence. Les va-et-vient de la règle sont-ils plus rapides ou plus lents ? Et le son, plus haut ou plus bas ?

Le verre vide donne le son le plus aigu ; le verre plein, le plus grave.

Lorsque le bout qui dépasse est court, la règle vibre plus vite et le son est aigu. Lorsque le bout est long, elle vibre lentement et le son est grave. Ce n'est pas un hasard : la hauteur d'un son dépend toujours de la vitesse des vibrations. La voix d'une femme est souvent plus aiguë que celle d'un homme parce que ses cordes vocales vibrent plus vite. Et le bruit du moustique est plus strident que celui du bourdon parce qu'il bat plus vite des ailes.

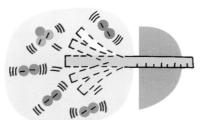
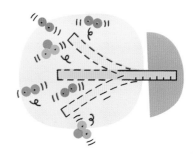

PLUS FORT !

Le volume d'un son est la force qu'il possède.
Plus tu montes le volume de la radio, plus
ça s'entend loin ! Il ne faut pas confondre
le volume d'un bruit (fort ou faible) avec
sa hauteur (aiguë ou grave). Qu'il crie ou qu'il
chuchote, la voix de cet homme reste grave.

Augmente le volume... d'un peigne

Il te faut :
• un peigne
• une table, une assiette, une casserole...

1 Tiens bien le peigne dans une main. Avec le dessous d'un doigt, frotte doucement les dents et écoute le bruit.

2 Maintenant, gratte fortement les dents avec l'ongle. Le bruit est-il plus fort ou moins fort ?

3 Pose le peigne au bord d'une table. Appuie dessus d'une main et gratte-le de l'autre. Le son est-il différent ? Recommence en le posant sur une casserole, une assiette...

Dico
Le volume d'un bruit se mesure en décibels (dB). Le silence complet, c'est 0 dB. Les feuilles d'un arbre dans la brise, 15 dB. Une discussion entre amis, 60 dB. Une cantine scolaire, 95 dB. Un coup de tonnerre, 120 dB. Une fusée qui décolle, 180 dB. Un volume trop fort et qui dure trop longtemps peut rendre sourd.

Quand tu frottes doucement le peigne, il vibre doucement. L'air qui se trouve autour vibre donc peu et le bruit n'est pas très fort. Pour augmenter le volume du bruit, tu as deux solutions. Tu peux le gratter fortement avec l'ongle : l'air vibre alors plus fort et cela s'entend mieux. Mais tu peux aussi appuyer le peigne contre une table. La table entière se met alors à vibrer. Et comme elle est grande, cela fait vibrer plus d'air et cela fait donc plus de bruit !

EN AVANT LA MUSIQUE !

Dans la famille de la guitare,
je voudrais le banjo américain
tout rond, le balalaïka russe
en triangle, le sitar indien
avec son très long manche
ou encore la mandoline ovale.
Ces instruments donnent
tous des sons différents
car ils ont des formes
différentes et sont fabriqués
dans des matériaux différents :
bois, fer...

Il te faut :
- une petite casserole
- des élastiques
- du ruban adhésif
- une règle plate

1 À l'aide du ruban adhésif, attache solidement la règle sur le manche de la casserole.

2 Coupe l'élastique. Scotche un bout à l'extrémité de la règle.

3 Scotche l'autre bout sur la casserole : l'élastique doit être bien tendu. Tu peux en placer d'autres à côté.

La musique, kézako ?

Si tu tapes sur un verre avec une cuillère, c'est du bruit. Si tu as plusieurs verres, que tu fais plusieurs notes différentes, et que le résultat est joli, cela devient de la musique.

4 Pose un doigt d'une main sur la règle, pour coincer l'élastique. Avec un doigt de l'autre main, gratte-le. Tu obtiens une note. Si tu coinces l'élastique ailleurs sur la règle, la note est différente. Maintenant, à toi de composer une mélodie…

Comme les vraies guitares, ton banjo est fait de deux parties. D'abord, les cordes : ici, il s'agit de l'élastique. Suivant l'endroit où tu le pinces, il vibre plus ou moins vite et donne une note plus ou moins aiguë. Ensuite, ton banjo possède une caisse de résonance. Sur les guitares classiques, elle est en bois. Ici, c'est la casserole. Sans elle, l'élastique ferait un petit « jdoiinng » sans intérêt. La casserole amplifie le volume des notes. On les entend donc mieux.

Et si, un jour,
l'on n'entendait plus les sons...

C'est la sortie de l'école. Tom rejoint Kim.
— Tu viens ? dit-elle. Je dois apporter ce livre
à ma tante Louise.
— Dacodac !
— Tu verras, elle est très sympa. Mais ne sois pas
surpris si elle ne parle pas : elle est sourde-muette
depuis sa naissance.

Arrivés devant la maison, Kim appuie
sur la sonnette.
— Pourquoi sonnes-tu si elle ne peut pas
entendre ? s'étonne Tom.
— Elle a branché la sonnette sur une lampe :
quand elle clignote, c'est qu'il y a quelqu'un
à la porte. Pareil pour son réveil : il ne sonne pas,
il vibre. Elle le met sous l'oreiller. Malin, hein ?
— Et pour la sonnerie du téléphone ?
— Nigaud ! À quoi lui servirait le téléphone ?
Elle est sourde !

Tante Louise ouvre la porte. Elle fait de drôles
de gestes. Kim aussi. Tom écarquille les yeux.
— Tu n'as jamais entendu parler de la langue
des signes ? demande Kim. Chaque signe remplace un
mot. Par exemple, pour dire « papa », tu fais
le geste de la moustache. Ma tante est très bavarde.
Pour communiquer, elle utilise aussi son ordinateur
et envoie des courriers électroniques à ses amis.
Viens, elle nous invite à goûter...

Intimidé, Tom observe le salon. Il n'y a ni radio ni disques. Mais il y a une télévision.
Sans le son, comment fait-elle pour comprendre ?
— Sa télé est équipée d'un système spécial, explique Kim. Les paroles de certaines émissions s'inscrivent en bas de l'écran. Il suffit de les lire !

Miam ! Les gâteaux sont délicieux. Pour le dire, Tom les montre puis se frotte le ventre.
Tante Louise sourit.
— Tu vois, ce n'est pas compliqué ! le félicite Kim.
Pour ma tante, le plus grand problème, c'est qu'elle n'entend pas les dangers : les voitures dans la rue, les sirènes de pompier ou les cambrioleurs. Elle doit être très prudente.

Sur le perron de la maison, Tom salue maladroitement Tante Louise en langue des signes.
— Ne lui répète pas, lance-t-il à Kim, mais je trouve ta tante... drôlement sympa et jolie.
Tante Louise sourit et Kim éclate de rire.
— Pour le secret, c'est raté ! Elle lit aussi sur les lèvres et elle a tout compris.
— Gloups, fait Tom en rougissant...

25

La lumière

Peux-tu imaginer un monde sans lumière ?
Ce serait la nuit partout et tout le temps.
Heureusement, la lumière existe et nous
éclaire ! Mais de quoi est-elle faite ? Comment
une bougie en fabrique-t-elle ? Pourquoi la
lumière du Soleil devient-elle orange le soir ?
Comment nos yeux voient-ils la lumière et les
couleurs ? Si ce n'est pas encore très clair pour
toi, réalise les expériences qui suivent et tout
deviendra lumineux !

LA LUMIÈRE, C'EST QUOI ?

Des rayons de soleil dans un sous-bois, quel joli spectacle ! Mais pourquoi certaines parties de la route sont-elles éclairées et d'autres pas ? Pourquoi la lumière n'éclaire-t-elle pas tout ?

1 Sur le carton, dessine un oiseau, un chat, un chien, un poisson…

Il te faut :
- du papier cartonné
- des pailles
- du ruban adhésif
- un crayon et des ciseaux
- une lampe de poche

2 Découpe les animaux. Scotche chacun d'eux au bout d'une paille.

3 Dans une pièce obscure, place la lampe de poche allumée à un mètre d'un mur blanc.

4 Tiens les animaux par la paille et intercale-les entre la lampe et le mur. Joue avec leurs ombres.

1m

Tu as fabriqué un théâtre d'ombres ! Voilà ce qu'il se passe : l'ampoule de ta lampe de poche fabrique de la lumière. La lumière est faite de petits grains d'énergie appelés photons. Ils partent de l'ampoule et filent en ligne droite. Lorsqu'ils ne rencontrent aucun obstacle, ils arrivent sur le mur et l'éclairent. Lorsqu'ils rencontrent un animal en carton, ils cognent dessus et s'arrêtent. Derrière, il n'y a pas de lumière : tu peux donc voir l'ombre de l'animal sur le mur.

Dico
La lumière est faite de grains : les photons. Les physiciens comparent aussi la lumière à une onde. Cela permet de comprendre comment se forment les couleurs.

QUE LA LUMIÈRE SOIT !

Un feu de camp, une ampoule allumée et le Soleil fabriquent de la lumière. Mais tous les trois ont un autre point commun...

Fabrique de la lumière

1 Demande à l'adulte de couper un morceau de fil électrique de 10 cm et de le dénuder sur 5 cm. Replie tous les petits fils de cuivre, sauf un.

Il te faut :
- du fil électrique
- un couteau
- une bougie
- un adulte

2 Dans une pièce obscure, demande à l'adulte d'allumer une bougie.

Vrai ou faux
Certains animaux fabriquent de la lumière.

Vrai. Les lucioles, par exemple, sont des insectes qui cherchent à se séduire en clignotant. La lumière qu'elles fabriquent est due à une réaction chimique qui se produit dans leurs corps.

3 Laisse le fil quelques secondes dans la flamme. Le vois-tu rougir ? Et si tu l'enlèves ? Ne le laisse pas trop longtemps dans la flamme, il risquerait de fondre.

Le fil de cuivre chauffé devient rouge et lumineux. En effet, au contact de la flamme, le cuivre s'excite tellement qu'il se met à produire des photons. Il devient alors lumineux, même dans le noir. Dès qu'il refroidit, il s'éteint. La lumière est souvent produite par de la chaleur : c'est le cas avec le filament d'une ampoule, la flamme d'une bougie et les gaz surchauffés du Soleil.

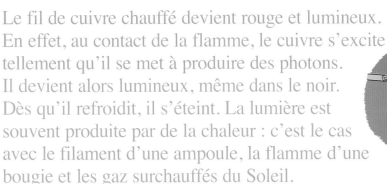

DES OBJETS ÉCLAIRÉS

Regarde autour de toi : il y a un livre, une table, des chaises... Puisque tu vois ces objets, cela veut dire qu'ils envoient de la lumière vers tes yeux. Mais, cette lumière, la fabriquent-ils eux-mêmes ?

Essaie de voir dans le noir

1 Va dans la salle de bains et fais l'obscurité complète. Pose la lampe de poche allumée sur le rebord du lavabo.

Il te faut :
- une lampe de poche
- une cuillère remplie de talc
- une salle de bains

2 Tiens la cuillère de talc devant ta bouche. Souffle doucement pour que le talc s'envole dans la lumière. À quel moment le vois-tu ?

Le sais-tu ?

Le Soleil fabrique énormément de photons. Ils traversent les nuages, rebondissent sur le sol, les arbres ou les murs. Ce sont eux qui, en entrant dans les maisons par les fenêtres, nous éclairent pendant la journée.

3 Toujours dans l'obscurité, ouvre le tiroir d'un meuble. Que dois-tu faire pour voir ce qu'il contient ?

Ta lampe de poche fabrique sa propre lumière : c'est pour cela que, dans le noir, elle t'éclaire. Un gant de toilette ou du talc n'en fabriquent pas : c'est pour cela que, dans le noir, tu ne les vois pas. Pour les voir, tu dois les mettre dans la lumière de la lampe de poche. Les photons qui partent de l'ampoule rebondissent alors sur le talc ou le gant de toilette, puis filent vers tes yeux. Le talc et le gant deviennent visibles.

Ô MON MIROIR

Pour vérifier qu'on est bien coiffé, hop ! un coup d'œil dans le miroir. Mais au fait, pourquoi peut-on s'y voir ?

Fais rebondir la lumière

1 Dans une pièce sombre, pose la lampe de poche sur une table, pas très loin du grand miroir.

2 Prends un petit miroir et place-le dans les rayons de lumière. Vois-tu une tache de lumière apparaître sur le mur ?

3 En bougeant ton miroir, déplace la tache jusque sur le grand miroir. Regarde derrière toi, tu devrais voir une autre tache.

4 Si vous êtes plusieurs, prenez chacun un miroir et faites une chaîne…

Lorsque tu places le miroir dans la lumière de la lampe, elle rebondit dessus comme une balle heurte le sol. La lumière part alors dans une autre direction. Et si tu diriges cette lumière vers un deuxième miroir, elle rebondira une deuxième fois… C'est parce que la lumière rebondit sur les miroirs que tu peux t'y voir. L'image de ton visage rebondit puis revient vers tes yeux. Tu te vois !

Le sais-tu ?
En 1969, des astronautes ont placé un miroir sur la Lune. Depuis la Terre, on y a ensuite dirigé la lumière d'un laser. Elle a mis moins de 3 secondes pour faire l'aller-retour. Dans le vide, la lumière va à la vitesse de 300 000 km par seconde !

CHANGEMENT DE DIRECTION

Lorsque tu regardes un nageur
dans une piscine, il paraît tout petit.
C'est une illusion d'optique.
La lumière nous joue un drôle de tour !

Fais apparaître une pièce !

1 Scotche la pièce de monnaie au fond de la petite casserole, près d'un bord.

Il te faut :
- une pièce de monnaie
- du ruban adhésif
- une petite casserole
- une grande casserole remplie d'eau

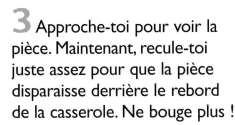

2 Assieds-toi à une table. Pose la casserole dessus pour que la pièce soit vers toi.

Que suis-je ?
Je suis une illusion d'optique qui se produit parfois dans les déserts chauds. Je suis…

Un mirage. Parfois, les voyageurs voient une oasis près d'eux alors qu'en réalité elle est loin. La raison : à cause des différences de température, la lumière est déviée par l'air et crée une illusion d'optique.

3 Approche-toi pour voir la pièce. Maintenant, recule-toi juste assez pour que la pièce disparaisse derrière le rebord de la casserole. Ne bouge plus !

4 Demande à quelqu'un de vider l'eau de la grande casserole dans la petite. Vois-tu la pièce réapparaître ?

Lorsque la casserole est vide, tu ne vois pas la pièce. Elle est cachée par le bord de la casserole. Les photons qui partent de la pièce vont tout droit : ils ne peuvent pas contourner le bord et n'arrivent pas jusqu'à tes yeux. Avec de l'eau dans la casserole, c'est différent. Lorsque les photons passent de l'eau à l'air, ils changent de direction. Ils contournent ainsi le bord de la casserole et parviennent jusqu'à tes yeux : tu vois alors la pièce.

LES LENTILLES

Pour bien voir des petits
détails, une loupe,
c'est utile. Si tu n'en as pas,
fabriques-en une !

Fabrique une loupe

1 Pose le journal sur une table bien éclairée. Puis le plat en verre sur le journal

Il te faut :
• un grand plat en verre à fond plat
• un verre d'eau
• une cuillère
• un journal

2 Trempe la cuillère dans le verre d'eau. Mets des gouttes d'eau un peu partout sur le plat : des petites, des moyennes, des grosses.

3 Regarde les lettres du journal à travers l'eau et déplace le plat. Toutes les gouttes grossissent-elles les lettres de la même manière ?

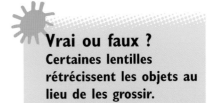

Vrai ou faux ?
Certaines lentilles rétrécissent les objets au lieu de les grossir.

Vrai. Les lentilles concaves (en creux) rétrécissent les objets. Les lentilles convexes (en bosse) les grossissent.

Plus les gouttes sont bombées, plus elles grossissent les lettres. Tu as fabriqué des loupes ! Pour comprendre comment elles marchent, souviens-toi de l'expérience de la page précédente : quand la lumière passe de l'eau à l'air, elle change de direction. La lumière en provenance du journal est déformée par l'eau et les lettres paraissent plus grosses. Il se passe exactement la même chose avec une loupe en verre.

C'EST DANS LA BOÎTE !

Clic, clac ! Rétros ou ultra-modernes, les appareils photo fonctionnent tous de la même façon. Ils ont besoin d'une chambre noire et d'un petit trou pour capter la lumière.

Confectionne une caméra

Il te faut :
- une brique de lait ou de jus de fruit vide
- un couteau pointu
- du papier calque
- du ruban adhésif
- une épingle

1 Avec le couteau, découpe dans la brique une fenêtre aussi grande que tu peux. Scotche un morceau de papier calque sur la fenêtre.

2 Retourne la brique. Au milieu de l'autre face, perce un petit trou avec l'épingle.

3 Un soir, tiens la boîte près d'une lampe allumée, le trou face à l'ampoule. Vois-tu l'ampoule apparaître sur le calque ? Que remarques-tu ? Essaie sur d'autres ampoules.

Le sais-tu ?
Les appareils photo possèdent une lentille devant le trou de la chambre noire. Elle permet de régler la netteté de la photo.

Sur le calque, tu vois apparaître l'ampoule à l'envers ! La lumière qu'elle fabrique passe à travers le petit trou. Mais du même coup, l'image s'inverse : le haut devient le bas, la gauche devient la droite. Les appareils photo fonctionnent ainsi : il y a une chambre noire, un trou par où passe la lumière et, au fond, une pellicule ou des cellules électroniques sur lesquelles l'image se forme et est enregistrée. Elle apparaît à l'envers, mais ce n'est pas grave : il suffit de retourner la photo !

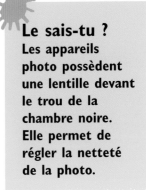

MON ŒIL !

As-tu remarqué que la pupille des chats n'avait pas toujours la même forme ? Parfois, c'est une mince bande au centre de l'œil. Parfois, elle est beaucoup plus large et forme presque un rond. Sais-tu pourquoi ?

Rétrécis ta pupille

1 Dans une pièce peu éclairée, regarde la pupille de l'un des yeux de ton copain.

2 Approche lentement la lampe de poche allumée de l'œil. Sa pupille change-t-elle de taille ?

3 Toujours dans une pièce peu éclairée, regarde la pupille d'un de tes yeux dans un miroir. Éclaire-la et observe.

Que suis-je ?
Lorsqu'il y a trop de lumière, tu nous mets sur ton nez et nous te protègeons les yeux. Nous sommes...

Des lunettes de soleil. Au bord de la mer ou au ski, il y a beaucoup de lumière. Tes pupilles, même rétrécies, laissent encore passer trop de lumière. Pour ne pas avoir mal aux yeux, il faut mettre des lunettes de soleil.

Lorsqu'il y a beaucoup de lumière, la pupille rétrécit. Ton œil fonctionne comme la boîte noire de la page précédente. Au fond, il y a la rétine, qui est une sorte d'écran, sur laquelle se forme l'image. Devant, il y a un trou qui laisse passer la lumière : la pupille. Dans la pénombre, ta pupille s'agrandit automatiquement pour laisser passer un maximum de lumière. En plein soleil, elle rétrécit pour que tu ne sois pas ébloui.

pupille   rétine

L'ARC-EN-CIEL

La lumière que nous envoie le Soleil
est de couleur blanche. Pourtant,
lorsqu'il pleut et que le Soleil brille,
il arrive qu'un arc-en-ciel
apparaisse dans le ciel.
D'où ces jolies couleurs
viennent-elles ?

Crée un vrai arc-en-ciel

Il te faut :
- un verre transparent et rond
- de l'eau
- une lampe de poche ou…
du soleil !

1 L'expérience avec la lampe de poche fonctionne mieux dans le noir. Remplis le verre d'eau. Pose-le tout au bord d'une table.

2 Allume la lampe de poche. Éclaire le verre à la surface de l'eau. Un petit arc-en-ciel doit apparaître par terre, au pied de la table. Si tu ne l'obtiens pas tout de suite, essaie à nouveau en déplaçant la lampe de poche vers la table.

3 Si des rayons de soleil entrent par une fenêtre de ta maison, c'est encore mieux ! Demande à un adulte de tenir le verre contre la vitre. Un bel arc-en-ciel apparaîtra sur le sol.

À ton avis ?
Prends un CD et mets-le sous la lumière d'une lampe. Peux-tu retrouver les six couleurs de l'arc-en-ciel ?

Réponse : violet, bleu, vert, jaune, orange et rouge. Parfois, on ajoute une septième couleur : l'indigo. C'est du bleu foncé.

Tu sais déjà qu'en mélangeant des peintures bleue et jaune, tu obtiens du vert. Il se passe la même chose avec les lumières : en mélangeant des lumières rouge, orange, jaune, verte, bleue et violette, tu obtiens une lumière… blanche ! La lumière blanche du Soleil ou de ta lampe de poche est donc un mélange de toutes ces couleurs. La preuve : lorsqu'elle traverse le verre d'eau, le mélange se défait et tu peux voir toutes les couleurs séparément : c'est l'arc-en-ciel.

UN SOLEIL ORANGE

Magnifique ! Lorsque le Soleil se couche,
il change de couleur. C'est parce que, le soir,
ses rayons traversent une épaisse couche d'air
avant d'arriver jusqu'à nos yeux. Cet air
ne laisse passer que les rayons orange
et rouges. Voilà pourquoi le Soleil apparaît
de cette couleur.

Un coucher de soleil dans un verre d'eau !

Il te faut :
- un verre rempli d'eau
- un verre de lait
- une lampe de poche
- une feuille de papier blanc
- une petite cuillère

1 Plie la feuille de papier en deux. Pose-la derrière le verre d'eau. Elle te servira d'écran.

2 Allume la lampe de poche. Dirige le rayon de lumière pour qu'il traverse l'eau et éclaire le papier blanc. Quelle couleur apparaît sur le papier ?

3 Prends une cuillerée de lait et verse-la dans le verre d'eau. Remue bien. Sur ton écran de papier, la couleur a-t-elle changé ? Rajoute une deuxième cuillerée. Puis une troisième… Que constates-tu ?

Quand tu ajoutes du lait, la tache de lumière devient jaune orangé. Comme tu le sais déjà, ta lampe de poche fabrique de la lumière blanche. Cette lumière est un mélange de violet, de bleu, de vert, de jaune, d'orange et de rouge. Toutes ces couleurs entrent dans le verre d'eau. Mais certaines sont arrêtées par le lait : le violet, le bleu, puis le vert. Seules les lumières jaune, orange et rouge traversent le verre jusqu'au papier. Voilà pourquoi il prend cette couleur.

LA COULEUR, C'EST QUOI ?

Que de couleurs ! Combien en vois-tu sur cette photo de carnaval ? Du jaune, du bleu, du vert... Mais au fait, sais-tu pourquoi tu vois le nez de ces joyeux clowns en rouge ?

Colore un mur blanc... sans peinture !

Il te faut :
- une lampe de poche
- ton livre
- un mur blanc

1 L'expérience se fait dans le noir. Allume la lampe de poche et éteins toutes les autres lampes. Va à côté du mur blanc.

2 Tiens le livre parallèle au mur. En approchant la lampe de poche du livre, éclaire successivement plusieurs endroits de la page et, à chaque fois, regarde le mur.

3 Quand la lampe de poche éclaire une partie bleue du livre, le mur devient bleu. Et c'est ainsi pour chaque couleur.

La lumière blanche que fabrique ta lampe de poche est un mélange de toutes les couleurs de l'arc-en-ciel. Lorsque cette lumière arrive sur une page du livre, une partie de ces couleurs rebondit dessus et le reste est absorbé par la page. Par exemple, quand la lumière blanche arrive sur une page bleue, seule cette couleur rebondit. C'est cette lumière bleue qui éclaire le mur et fait que tu vois la page en bleu. Une banane renvoie vers tes yeux de la lumière jaune. Et un nez de clown, de la lumière rouge.

RIEN QUE DES POINTS

Dans la nature, cette coccinelle s'est posée sur une feuille verte. Pourtant, pour imprimer cette page, on n'a pas eu besoin d'encre verte. Une image imprimée est formée de milliers de points de couleur jaune, rouge, bleue et noire. La superposition des points jaunes et bleus donne du vert.

Découvre les vraies couleurs d'une télé

1 Découpe un petit morceau de film plastique. Pose-le sur l'écran de la télévision pour ne pas le salir. Allume la télévision.

2 Trempe le bout de ton doigt dans le verre d'eau puis mets-le sur le film. Enlève le doigt pour qu'il ne reste qu'une petite goutte d'eau sur l'écran.

3 Regarde à travers cette petite goutte. Tu devrais voir des petits points de trois couleurs différentes. Lesquelles ?

Dico
Les trois couleurs qui permettent, par mélange, d'obtenir toutes les autres sont appelées couleurs primaires. En peinture, il s'agit du bleu, du rouge et du jaune. Et pour les téléviseurs, du bleu, du rouge et du vert.

Les points de la télévision sont verts, rouges et bleus. Parfois, il y a plus de vert, de rouge ou de bleu. Mais il n'y a pas d'autre couleur. Lorsque tu regardes à travers la goutte, l'eau agit comme une loupe. Elle grossit les points. C'est pourquoi tu les vois bien. Là où il n'y a pas d'eau, les points sont si petits que tes yeux ne les voient plus. Ils ne voient qu'un mélange de lumières verte, rouge et bleue. Or, tu le sais, en mélangeant les couleurs, on obtient d'autres couleurs. C'est ainsi qu'on fabrique les milliers de couleurs de la télévision.

VOIR LES COULEURS

Au fond de nos yeux, il y a des milliards de capteurs sensibles aux couleurs. Ils marchent un peu comme des petites caméras. Certaines voient le noir, d'autres le bleu, le vert ou le rouge. Lorsque le cerf-volant envoie de la lumière bleue au fond de tes yeux, les capteurs sensibles à cette couleur se mettent en marche. Ils le signalent alors à ton cerveau.

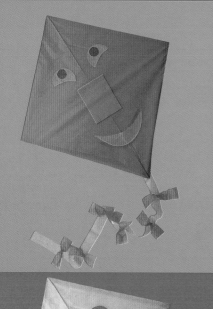

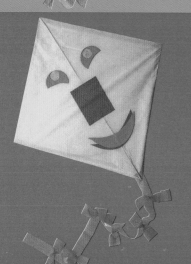

Un poisson magique !

Il te faut :
• une lampe

1 Mets ton livre sous une lampe, pour qu'il soit bien éclairé.

2 Regarde ce poisson rouge sans bouger les yeux, le temps de compter jusqu'à trente.

3 Puis regarde l'intérieur du bocal. Vois-tu apparaître un poisson ? Si tu ne le vois pas, cligne des yeux… Le vois-tu ? De quelle couleur est-il ?

Test

Que vois-tu sur ce dessin ? Si tu lis un 17, c'est que tes yeux perçoivent bien les couleurs. Si tu ne le vois pas, tu es peut-être daltonien : tes yeux ne font pas la différence entre le rouge et le vert. Ce n'est pas grave : près d'un garçon sur dix voit mal les couleurs. Chez les filles, c'est un peu plus rare.

Un poisson bleu-vert ! Lorsque tu regardes le poisson rouge, il envoie vers tes yeux de la lumière rouge. Les capteurs sensibles au rouge travaillent alors beaucoup. Ensuite, lorsque tu regardes le papier blanc, ces capteurs sont fatigués et ne travaillent plus. Seuls ceux qui voient le vert et le bleu fonctionnent encore. Tu vois maintenant un poisson bleu-vert.

Et si, un jour...
il n'y avait plus de lumière

Soudain, l'écran de cinéma s'éteint au beau milieu du film.
— Bah..., s'étonne Quentin, qu'est-ce qui se passe ?
Dans le noir, il se tourne vers Manon.
— Pourquoi il ne montre pas la fin de *La Nuit du bébé vampire* ? Il y a le son mais plus l'image !

— C'est étrange, répond Manon, les lumières des sorties de secours se sont éteintes...
— Et la lumière de ma montre ne marche plus...
Il n'y a plus de lumières ! Maman, qu'est-ce qui se passe ?
Mais la mère de Quentin ne répond pas.
Elle était pourtant assise à côté d'eux...
— Maman ! Tu es là ?... Tu es sortie ?

Dans l'obscurité, Quentin et Manon sortent du cinéma, main dans la main. Dehors, il fait nuit, bien que ce soit l'après-midi : le Soleil est éteint !
Les feux tricolores et les lampadaires aussi.
— C'est un cauchemar ! Il n'y a plus aucune lumière. Comme si on était aveugle !
Comment va-t-on faire pour retrouver ma mère ?
Et le chemin jusqu'à la maison ?
— Asseyons-nous et attendons ! propose Manon.

— Tu crois que ça va durer longtemps ? s'inquiète Quentin.
— J'espère pas ! On ne peut pas vivre longtemps sans lumière. Les plantes en ont besoin pour vivre. Sans lumière, elles mourront. Puis ce sera le tour des animaux qui se nourrissent de plantes... Impossible de vivre sur une planète sans lumière.
— Dis-moi que c'est un mauvais rêve !

— Et voilà que j'ai froid, remarque Quentin tout frissonnant.
— C'est normal. La lumière du Soleil réchauffe la Terre. Sans elle, la température baisserait tellement que toute l'eau des océans gèlerait !
— Mais c'est un vrai cauchemar ! s'exclame Quentin. Dis-moi que c'est un cauchemar !

Soudain, la lumière revient. Quentin regarde autour de lui. Mais... il est dans le cinéma. Sa mère et Manon sont là, à côté. Quel soulagement !
— Eh bien, lui dit Manon, tu as des petits yeux. Tu t'es endormi ? Tu as eu tort, *La Nuit du bébé vampire*, c'était effrayant !
— Oh, j'ai pas besoin de ça pour avoir peur ! En tout cas, je suis bien content que la lumière soit revenue !

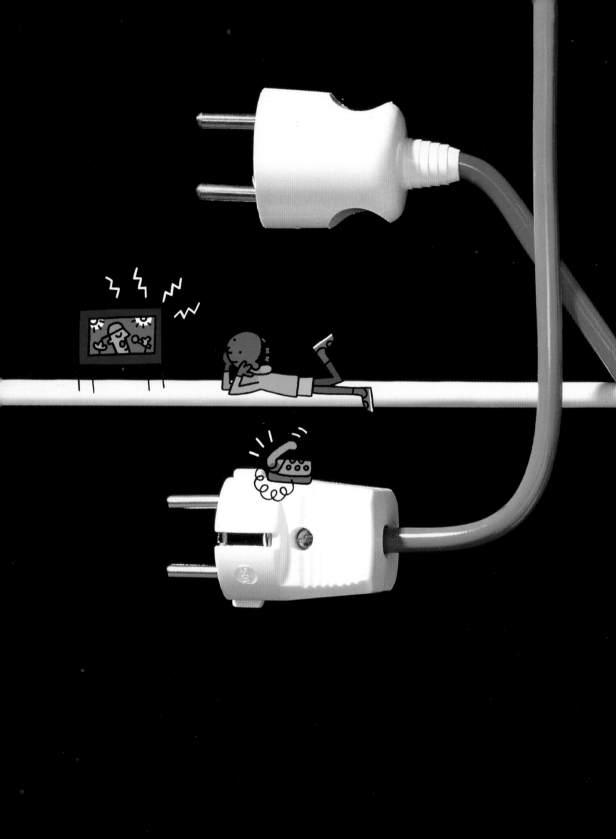

L'électricité

Une lampe, une télévision, un jeu vidéo...
Tu sais que ces objets fonctionnent grâce à l'électricité.
Mais l'électricité, qu'est-ce que c'est ?
Réalise les expériences qui suivent et la précieuse
énergie n'aura plus de secrets pour toi...
Mais attention ! N'essaie jamais de les refaire avec
une prise électrique. Ne mets pas tes doigts ni aucun fil
électrique dans une prise. C'est très dangereux !
Tu risques de t'électrocuter.

L'ÉLECTRICITÉ, C'EST QUOI ?

Sans électricité, ce manège serait bien
ennuyeux ! Les ampoules seraient éteintes.
Le moteur qui le fait tourner ne marcherait pas.
Et il n'y aurait plus de musique. L'électricité est
vraiment utile ! Mais sais-tu de quoi elle est faite ?

Il te faut :
• une pile plate de 4,5 volts

1 Essuie les deux lames de la pile.

2 Pose rapidement ta langue pour qu'elle touche les deux lames en même temps. Que ressens-tu ?

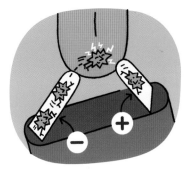

Hé, ça picote !
Tu sens le courant électrique qui passe dans ta langue.
L'électricité est composée de minuscules grains de matière. Un peu comme des grains de sable, mais si petits qu'on ne peut pas les voir. Ces particules sont appelées des électrons. Quand tu poses ta langue humide sur les deux lames, les électrons l'utilisent comme un pont : ils partent d'une lame, traversent ta langue, pour arriver dans l'autre lame. Le passage des particules d'électricité s'appelle le courant.

Le courant électrique que fabrique une pile n'est pas fort. Pourtant, tu as quand même ressenti des picotements. Le courant d'une prise électrique est beaucoup plus fort. Si tu touches la prise, tu ressentiras un choc très violent. Tu risques même de mourir. Les enfants et les adultes ne doivent jamais mettre leurs doigts ni des fils électriques directement dans les prises !!!

L'ÉLECTRICITÉ STATIQUE

Non, ces filles n'utilisent pas un mauvais shampooing ! Elles sont dans un musée des sciences et font une expérience. Leurs cheveux se dressent à cause de l'électricité statique contenue dans la boule en métal.

Il te faut :
- une feuille de papier
- une règle en plastique
- un pull en laine

1 Prends la feuille de papier et déchire des petits confettis.

Le sais-tu ?
Il y a 2500 ans, les Grecs ne connaissaient ni les piles ni les ampoules. Mais ils s'amusaient déjà avec l'électricité statique. Ils frottaient une résine appelée ambre, puis l'utilisaient pour attirer des petites plumes. Dans leur langue, *ambre* se disait *êlektron*. Plus tard, on a utilisé ce mot pour fabriquer le mot « électricité ».

2 Approche la règle juste au-dessus des confettis. Que se passe-t-il ?

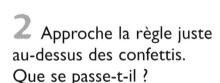

3 Maintenant, frotte la règle en plastique sur un pull en comptant jusqu'à vingt. Pour cette expérience, les pulls en laine sont les meilleurs.

4 Approche la règle au-dessus des confettis. Que se passe-t-il ?

Si tu ne frottes pas la règle, il ne se passe rien. Si tu la frottes assez longtemps, les confettis s'accrochent dessus. Ce n'est pas de la magie, c'est de l'électricité ! Quand tu frottes la règle sur le pull, elle arrache des particules d'électricité qui se trouvent dans la laine. La règle se remplit alors d'un peu d'électricité. On dit que c'est de l'électricité statique. Ensuite, lorsque tu approches la règle des confettis, c'est cette électricité qui les attire.

DE L'ÉLECTRICITÉ DANS L'AIR !

Pendant un orage, les gouttes d'eau remuent beaucoup dans les nuages. Elles se remplissent alors d'électricité statique, un peu comme quand on frotte une règle sur de la laine. Lorsque le nuage contient trop d'électricité, un courant traverse l'air pour aller dans le sol. C'est l'éclair.

Fais des étincelles !

Il te faut :
- une pile plate de 4,5 volts
- du ruban adhésif
- un fil électrique dénudé aux extrémités
- une punaise en métal

1 Prends le fil. À l'aide du ruban adhésif, attaches-en un bout à l'une des lames de la pile. Enroule l'autre extrémité autour de la pointe de la punaise.

2 Touche rapidement la deuxième lame avec la pointe de la punaise. Regarde les petits éclairs ! Ne fais pas cette expérience trop longtemps, car la punaise chauffe vite.

Dans une pile, les petites particules d'électricité ont très envie d'aller d'une lame vers l'autre. Elles partent donc de la première lame et, grâce au fil électrique, arrivent dans la punaise. Mais là, elles sont bloquées : pour rejoindre l'autre lame, il faut traverser l'air.

Or, elles ont du mal à le faire. Mais, si tu approches la punaise assez près de la lame, cela devient possible. Et hop, elles sautent. Le petit éclair que tu vois, c'est l'électricité qui traverse l'air.

LA PILE ÉLECTRIQUE

Quel drôle d'engin ! Mais qu'est-ce que c'est ?
Un distributeur de pièces de monnaie ?
Non, c'est une pile électrique. C'est même la
toute première qu'on ait inventée, il y a 200 ans.
Elle fonctionnait un peu comme celle
que tu vas fabriquer maintenant.

Construis une pile

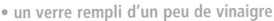

Il te faut :
- un verre rempli d'un peu de vinaigre
- deux fils électriques en cuivre dénudés aux extrémités
- un trombone en fer

1 Nettoie les extrémités des deux fils. Prends un fil et attaches-en un bout au trombone.

2 Plonge le trombone et un bout du deuxième fil dans le vinaigre. Fais attention : dans le verre, le fil avec le trombone ne doit pas toucher l'autre fil.

3 Pose l'un des deux fils sur ta langue.

4 Pose maintenant le deuxième fil. Sens-tu la différence de goût ?

Bravo ! Tu viens de fabriquer une pile électrique ! Lorsque les deux fils sont posés sur ta langue, tu ressens un petit goût bizarre. C'est de l'électricité. Elle est fabriquée dans le verre par le fer du trombone, le cuivre du fil et le vinaigre. On dit qu'il y a une réaction chimique. Dans les piles, il n'y a pas de vinaigre. Mais l'électricité est aussi fabriquée grâce à une réaction chimique.

TOUT S'ÉCLAIRE !

Autrefois, on s'éclairait avec des bougies ou des lampes à pétrole. C'était dangereux à cause du feu ! Heureusement, en 1879, l'inventeur Thomas Edison a fabriqué l'ampoule électrique. Une invention lumineuse !

Découvre d'où vient la lumière

Il te faut :
- une pile plate de 4,5 volts
- une ampoule de lampe de poche
- des lunettes de soleil

1 D'abord, regarde bien l'intérieur de l'ampoule. Il y a deux gros fils sur les côtés et un fil très fin au milieu. Tu les vois ? Maintenant tu peux mettre tes lunettes de soleil.

2 Pose l'ampoule au bout d'une lame de la pile.

3 Penche l'ampoule afin qu'elle touche la deuxième lame. Elle s'allume. Dans l'ampoule, quels fils donnent de la lumière : les deux gros ou le fin ?

Qui suis-je ?
Avant de coudre, on passe mon premier dans le trou de l'aiguille.
Mon deuxième est la première lettre de l'alphabet.
Mon troisième est la dernière syllabe du mot « maman ».
Mon tout est le nom du fil qui brille dans l'ampoule.

Réponse : le filament (fil-A-man)

Tu sais déjà que le courant d'une pile électrique est composé des petites particules d'électricité. Elles avancent à la queue leu leu dans les fils électriques. Lorsque le fil est gros, les particules ont assez de place pour passer. Mais quand le fil est fin, elles sont très serrées. Elles frottent et chauffent le fil fin. Il devient tellement chaud qu'il brûle presque. Cela donne de la lumière.

BEAUCOUP D'ÉLECTRICITÉ

Une petite radio a besoin de peu d'électricité. Celle d'une pile suffit. Pour alimenter ta maison et une ville entière, il en faut beaucoup plus. L'électricité est fabriquée en grande quantité dans les centrales nucléaires ou dans des barrages, comme celui-ci. L'eau fait tourner des turbines qui produisent

Il te faut :
- deux piles rondes de 1,5 volt
- du ruban adhésif
- une ampoule de lampe de poche
- un fil dénudé aux extrémités

1 Prends le fil.
Attache un bout sur la face $\ominus$
d'une pile avec le ruban adhésif.
Entoure l'autre bout autour de l'ampoule.

2 Pose le bas de l'ampoule sur l'autre face
de la pile. Elle s'allume. Brille-t-elle beaucoup ?

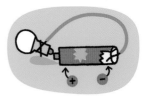

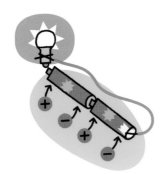

3 Recommence l'expérience avec deux piles.
Le côté $\oplus$ de la première pile doit toucher
le côté $\ominus$ de l'autre, comme sur le dessin.
L'ampoule brille-t-elle plus ou moins
que tout à l'heure ?

Le sais-tu ?
**Pour mesurer une longueur,
on utilise généralement
le mètre. Pour mesurer
l'électricité, on peut utiliser
des volts. Par exemple, une
prise électrique fait 220 volts.
Elle donne beaucoup d'électricité.
Et ta pile plate, combien fait-elle
de volts ? Regarde, c'est écrit
dessus.**

Réponse : 4,5 volts.

Avec une seule pile, l'ampoule brille
faiblement. C'est parce que la pile ne lui
apporte pas assez de courant. Ensemble,
les deux piles produisent deux fois plus de
courant. L'ampoule brille donc deux fois
plus fort. Et si tu allumes l'ampoule avec
une pile plate, elle brillera encore plus.
En effet, dans la pile plate, il y a
l'équivalent de trois piles rondes.

TRANSPORTER LE COURANT

Une centrale nucléaire, un barrage ou une pile fabriquent de l'électricité. Une ampoule, une télévision ou un train électrique en ont besoin pour fonctionner. Comment transporte-t-on le courant depuis la pile jusqu'à l'ampoule ? Avec des fils électriques !

Le sais-tu ?
Si on accrochait bout à bout toutes les lignes électriques de France, on obtiendrait un fil très long. Si long qu'on pourrait le tendre jusqu'à la Lune, revenir sur la Terre, et retourner une deuxième fois sur la Lune !

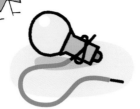

1 Prends l'extrémité d'un fil et entoure la partie en métal de l'ampoule.

Il te faut :
- une pile plate de 4,5 volts
- une ampoule de lampe de poche
- deux fils électriques dénudés
- du papier d'aluminium
- du ruban adhésif

2 Découpe un petit morceau d'aluminium. Prends le deuxième fil et enveloppe un bout dans l'aluminium. Replie l'aluminium pour faire une petite boule.

3 Découpe un morceau de ruban adhésif. Pose-le sur une table, la face collante tournée vers le haut. Place au milieu de celui-ci la boulette d'aluminium.

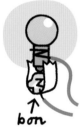

bon

4 Pose le bas de l'ampoule sur la boulette en appuyant fort. Replie le ruban adhésif de chaque côté de l'ampoule. Fais bien attention : la boulette d'aluminium doit toucher le bas de l'ampoule mais pas ses côtés. Sinon cela ne marchera pas.

pas bon

Le courant électrique circule dans les fils, un peu comme l'eau dans les tuyaux. Avec notre circuit, le courant part d'une lame de la pile. Il passe dans le premier fil, traverse l'ampoule, passe dans le deuxième fil, puis revient dans la pile par la deuxième lame. Puisque l'ampoule est traversée par le courant électrique, elle s'allume.

5 Avec le ruban adhésif, fixe un fil à une lame de la pile. Attache de la même façon l'autre fil à l'autre lame. Ça s'allume !

Ces hommes travaillent au sommet d'un pylône électrique. C'est très dangereux ! Pour manipuler les fils sans se faire électrocuter, ils utilisent ces longues tiges orange. Elles sont fabriquées avec une matière isolante, qui empêche le courant de passer.

OU ISOLANT ?

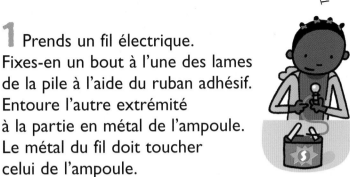

Il te faut :
- une pile plate de 4,5 volts
- une ampoule de lampe de poche
- deux fils dénudés aux extrémités
- du ruban adhésif
- une fourchette en métal
- un feutre en plastique

1 Prends un fil électrique. Fixes-en un bout à l'une des lames de la pile à l'aide du ruban adhésif. Entoure l'autre extrémité à la partie en métal de l'ampoule. Le métal du fil doit toucher celui de l'ampoule.

2 Prends le deuxième fil. Fixes-en un bout avec le ruban adhésif à la deuxième lame de la pile. Fais de même avec l'autre bout sur la fourchette.

3 Pose le bas de l'ampoule sur la fourchette. S'allume-t-elle ?

4 Décolle le ruban adhésif de la fourchette et colle-le sur le feutre. Pose le bas de l'ampoule sur le feutre. L'ampoule s'allume-t-elle ?

Le fer, l'aluminium, l'argent laissent passer le courant : on dit que ce sont des **conducteurs**. Le plastique, le bois, le verre l'empêchent de passer : ce sont des **isolants**.

L'ampoule s'allume sur la fourchette mais pas sur le feutre. Pourquoi ? Parce que la fourchette est en fer, une matière qui laisse passer l'électricité. Le courant de la pile traverse le fil puis la fourchette. Il arrive donc jusqu'à l'ampoule, qui s'allume.

Avec le feutre, c'est différent : le plastique est une matière qui bloque l'électricité. Le courant de la pile n'arrive plus jusqu'à l'ampoule. Sans électricité, elle reste éteinte.

L'INTERRUPTEUR

Pour couper l'arrivée de l'eau dans des tuyaux,
on utilise un robinet. Et pour arrêter le passage
d'un courant électrique dans un fil, qu'utilise-t-on ?
Un interrupteur ! C'est indispensable pour éteindre
une lampe ou la télévision. Et ce n'est pas
très difficile à fabriquer...

Réalise un interrupteur

Il te faut :
- une pile plate de 4,5 volts
- une ampoule de lampe de poche
- trois fils électriques dénudés
- du papier d'aluminium
- un bouchon
- deux punaises en métal
- un trombone
- du ruban adhésif

1 Pour faire ce montage, reporte-toi aux quatre premiers dessins de la page 17. Bien sûr, si le montage est déjà fait, ne le refais pas.

2 Prends un fil et fixe-le avec du ruban adhésif à une lame de la pile. Prends l'autre fil et enroule l'un des bouts à la punaise. Plante la punaise dans le bouchon.

3 Prends le troisième fil. Fixe un bout à la deuxième lame de la pile. Entoure l'autre bout à la deuxième punaise. Passe la pointe de la punaise à travers le trombone. Plante la punaise dans le bouchon.

4 Amuse-toi à faire tourner le trombone. Lorsqu'il touche les deux punaises à la fois, l'ampoule s'allume.

Félicitations ! Tu viens de fabriquer un véritable interrupteur. Regardons comment il marche. Dans la pile, les particules électriques aiment voyager d'une lame vers l'autre. Pour cela, elles utilisent les fils électriques comme un pont. Lorsque le trombone ne touche pas les deux punaises, c'est comme si le pont était cassé entre les deux lames. Le courant ne passe pas et l'ampoule est éteinte. Lorsque le trombone touche les deux punaises, le pont est réparé. Le courant peut passer et l'ampoule s'allume.

Un problème ?
Si l'ampoule ne s'allume pas, vérifie que la boulette d'aluminium ne touche pas le côté en métal de l'ampoule. Si elle le touche, on dit qu'il y a court-circuit. Le courant ne passe plus dans le filament de l'ampoule et celle-ci reste éteinte.

Et si, un jour,
il n'y avait plus d'électricité...

Arthur a invité Sophie à venir passer le week-end chez ses parents à la campagne. Pendant le dîner, un énorme orage éclate et soudain, la maison se retrouve plongée dans le noir ! Vite, la maman d'Arthur court chercher des bougies.

Les deux enfants parlent pour se rassurer.
— Sophie, imagine un peu s'il n'y a toujours pas d'électricité demain matin !
— Moi qui aime tellement les tartines grillées ! Sans le grille-pain, ça va être difficile. Et puis impossible de réchauffer le lait au micro-ondes.

Un nouveau coup de tonnerre retentit. Sophie frissonne :
— Génial ! On sera obligés d'aller à l'école en rollers. Dans la rue, pas un véhicule : sans électricité dans la batterie, ni les voitures ni les bus ne peuvent démarrer...

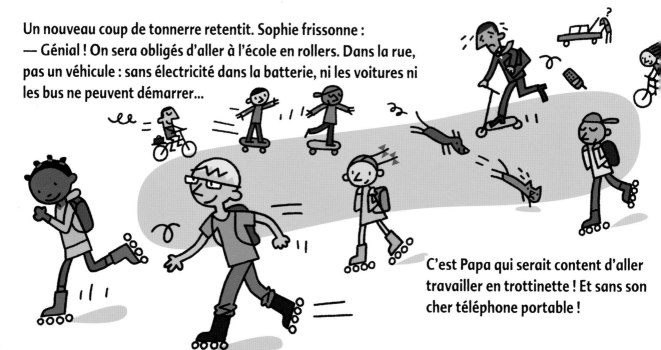

C'est Papa qui serait content d'aller travailler en trottinette ! Et sans son cher téléphone portable !

— Au supermarché, plus de caisses enregistreuses. Imagine les pauvres caissières en train de poser des additions interminables...

— Et pense un peu à tout ce que l'on aime et qui ne marcherait plus : la télé, l'ordinateur, les consoles de jeux, le train électrique, les voitures télécommandées...

— Le soir, ce serait plus compliqué mais très joli. Il faudrait allumer partout des bougies, un peu comme le soir de Noël !

Mais alors que la maman d'Arthur revient avec quelques bougies, toutes les lumières se rallument.
Arthur et Sophie sont un peu déçus. Finalement, ils auraient bien passé la soirée à la lueur des bougies.

PLINK

aagh!

— Vous savez, dit Maman, longtemps les hommes ont vécu sans électricité. Nous pourrions très bien nous en passer, mais ce serait très difficile : nous aurions tant d'habitudes à changer !
— C'est vrai, répond Arthur. Hum, d'ailleurs, tu ne nous avais pas dit qu'il y avait un bon film ce soir à la télé ?

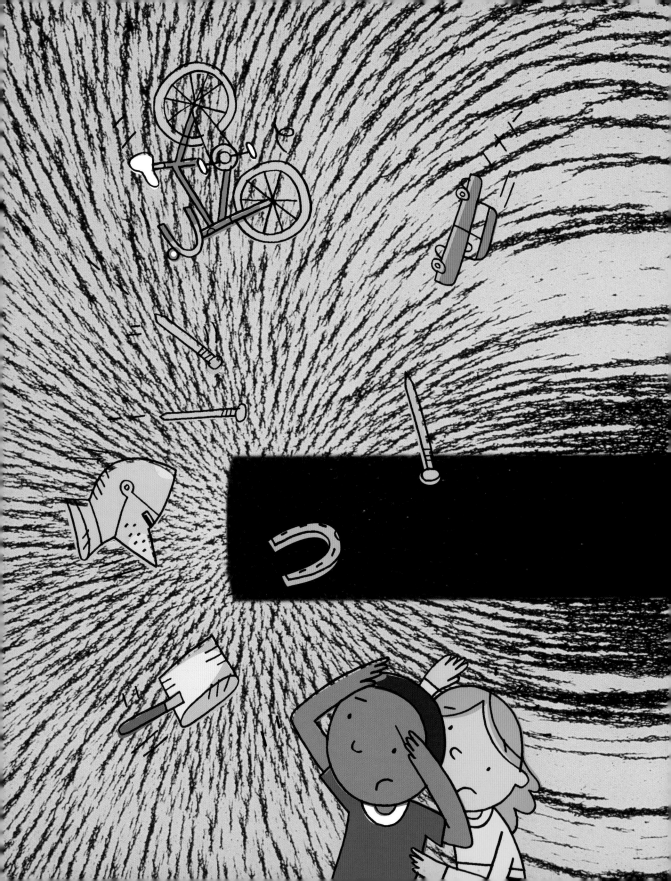

Les aimants

Tu as peut-être des magnets sur ton réfrigérateur.
Mais sais-tu qu'il y a d'autres aimants cachés autour
de toi ? Par exemple, dans les haut-parleurs
de ta radio ou dans certains moteurs électriques.
La Terre, elle-même, est un gigantesque aimant.
Pourquoi attirent-ils le fer et pas le verre ?
Comment marche une boussole ? Qu'est-ce qu'un
électro-aimant ? Réalise les expériences qui suivent,
et les aimants n'auront plus de secrets pour toi.

UN AIMANT, C'EST QUOI ?

Sympa, les magnets !
Mais pourquoi restent-ils
accrochés au frigo ?
Et pourquoi, quand on les pose
sur une vitre ou sur du carrelage,
tombent-ils ?

Il te faut :
- un aimant
- des pièces de monnaie
- du papier aluminium
- des petits objets :
  feutre, verre…

1 Pose tous tes objets sur une table.

2 Mets de côté l'aimant. Prends un objet au hasard, et fais-le toucher les autres. Restent-ils accrochés ?

3 Prends l'aimant. Fais-le toucher les objets. Sur lesquels reste-t-il accroché ?

Parmi tous tes objets, seul l'aimant s'accroche à d'autres. Et encore, pas à tous ! Il s'accroche à la fourchette en fer, mais pas au verre. C'est à cause de la matière dont sont faits les objets. Un aimant est fait avec une matière qui contient des millions d'aimants microscopiques bien alignés. C'est pour cela qu'il peut s'accrocher. Dans le fer, il y a aussi ces micro-aimants. Grâce à eux, le fer est accroché par l'aimant ; mais comme ils ne sont pas alignés dans la même direction, le fer n'est pas lui-même un aimant. Dans le verre ou l'aluminium, il n'y a pas de micro-aimants : ils ne se laissent pas accrocher.

Où trouver des aimants ?
Tu peux récupérer un aimant sur certaines portes de placard, ou en acheter au rayon bricolage d'un supermarché. Les magnets sont des aimants, mais ils ne sont pas assez puissants pour nos expériences.

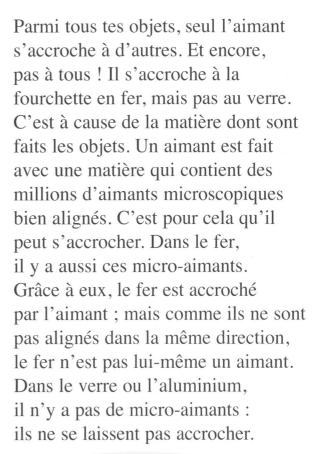

UNE FORCE À DISTANCE

Pas de trucage ! L'aimant flotte vraiment dans l'air :
lui et le disque se repoussent l'un l'autre.
La force des aimants agit à distance :
ils attirent certains objets et en repoussent
d'autres... sans même les toucher !

Fais naviguer un bateau

Il te faut :
- un plat en verre
- un bouchon en liège
- un trombone en fer
- une règle
- du ruban adhésif
- deux livres
- un aimant

1 Pose le trombone le long du bouchon et scotche-le.

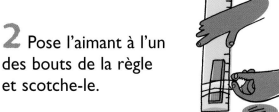

2 Pose l'aimant à l'un des bouts de la règle et scotche-le.

3 Verse un peu d'eau dans le plat en verre. Fais-y flotter le bouchon, avec le trombone vers le bas.

4 Dispose les deux livres sur une table, un peu espacés. Place le plat dessus.

5 Glisse le bout de la règle avec l'aimant sous le plat, juste sous le bouchon. Amuse-toi à le déplacer en faisant bouger l'aimant.

Dico
On dit qu'un aimant crée un « champ magnétique » autour de lui. Ce champ est invisible. On parvient à le « voir » en saupoudrant de la limaille de fer autour d'un aimant. Regarde pages 78 et 79 !

Tu parviens à déplacer le bateau sans le toucher ! Ton aimant attire le trombone en fer, malgré le plat en verre et l'eau. Les aimants exercent une force invisible sur ce qui est en fer. Cette force agit à distance : l'aimant n'est pas obligé de toucher le trombone en fer pour l'attirer. Mais, plus ils sont proches, plus la force est grande. Cette force parvient à traverser l'air, l'eau, le verre ou encore le papier.

RÉACTION EN CHAÎNE

Ces petits bonshommes sont en fer. Il est donc normal que celui du haut colle à l'aimant.
Mais pourquoi les deux autres en dessous restent-ils accrochés, alors qu'ils ne touchent même pas l'aimant ?
Étrange, non ?

Forme une chaîne de trombones

1 Vérifie que les deux trombones ne sont pas aimantés : ils ne doivent pas s'accrocher l'un à l'autre.

Il te faut :
- un aimant
- deux trombones en fer

2 Pose-les sur une table. Avec l'aimant, attrape le premier trombone.

3 Pose le premier trombone sur le second. S'accrochent-ils ?

4 Avec ta deuxième main, sépare progressivement le premier trombone de l'aimant. Le deuxième trombone reste-t-il accroché ?

Une autre expérience
Si ton aimant est assez fort et que tu es agile, tu pourras réaliser une chaîne de trois ou même quatre trombones. Quel est ton record ?

Posé sur un aimant, le trombone devient un aimant. Dans un aimant, il y a des millions de micro-aimants, tous dirigés dans la même direction. Le fer contient aussi des micro-aimants. Mais ils sont dirigés dans tous les sens : c'est pour ça que le fer n'est pas un aimant. Mais quand tu poses le trombone sur l'aimant, cela oblige les micro-aimants du fer à prendre la même direction. Du coup, le trombone devient un aimant. Ensuite, quand tu l'écartes de l'aimant, ses micro-aimants reprennent leur position de départ. Le trombone perd alors peu à peu son aimantation.

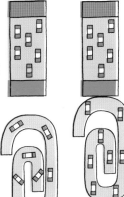

FABRIQUER UN AIMANT

Dans la nature, certains cailloux
attirent le fer. Ce sont des aimants
naturels. Mais ils sont assez rares.
Les aimants que tu utilises
ont été fabriqués dans des usines.

Aimante un tournevis

1 Vérifie que le tournevis n'est pas aimanté : les épingles ne doivent pas rester accrochées dessus.

Il te faut :
- **un aimant**
- **un tournevis**
- **des épingles en fer**

2 Pose l'aimant sur la partie en métal du tournevis, près du manche. Frotte-le jusqu'au bout du tournevis. Recommence l'opération dix fois.

x 10

Le sais-tu ?
Les mots « magnet », « champ magnétique », « bande magnétique » ont été formés à partir du nom d'une ville, Magnésie. Dans l'Antiquité, les Grecs y ont trouvé des cailloux noirs qui attiraient le fer. Ils ont baptisé ces aimants naturels « magnétite ».

3 Pose le tournevis sur les épingles. Restent-elles collées ?

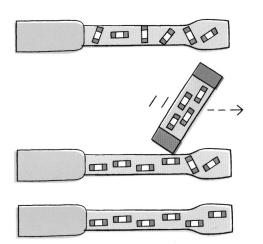

Le tournevis est devenu un aimant ! Dans un aimant, il y a des millions d'aimants microscopiques. Ils sont tous dirigés dans le même sens. Dans le fer, ces micro-aimants sont dirigés dans tous les sens. C'est pour cela que le fer n'est pas un aimant. Mais lorsque tu le frottes longtemps avec un aimant, tu obliges les micro-aimants à se mettre tous dans la même direction. Le fer devient alors un aimant. La preuve : le tournevis attire les épingles !

PÔLE NORD, PÔLE SUD

Ce train n'a pas de roues ! Il flotte à un centimètre au-dessus du rail. Par magie ? Non, les aimants électriques du rail repoussent ceux du train vers le haut, et le font flotter dans l'air !

1 Pose les aiguilles sur la feuille de papier, l'une contre l'autre. Scotche-les, de façon à ce que les bouts dépassent.

Il te faut :
- un aimant
- trois aiguilles à coudre identiques
- de la gouache rouge et bleue
- du papier
- du ruban adhésif

2 Pose ton aimant à un bout des aiguilles. Frotte-le jusqu'à l'autre bout, puis relève-le. Recommence dix fois toujours dans le même sens.

3 Mets un peu de gouache bleue à un bout des aiguilles, et rouge à l'autre bout. Quand c'est sec, enlève le ruban adhésif.

Une autre expérience
Si tu as deux aimants, amuse-toi à rapprocher deux pôles qui se repoussent. Il faut de la force pour les faire se toucher !

4 Prends une aiguille. Que se passe-t-il si tu approches son bout bleu du bout bleu d'une autre aiguille ? Et avec deux bouts rouges ? Et deux bouts de couleurs différentes ?

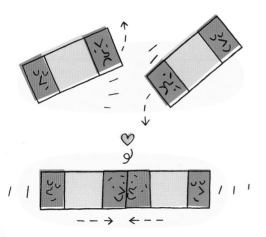

En frottant tes aiguilles avec un aimant, tu en as fait des aimants. Mais c'est curieux : deux bouts de même couleur se repoussent. Et deux bouts de couleurs différentes s'attirent ! On dit que les aimants ont des « pôles » : un pôle nord et un pôle sud. Les pôles nord de deux aimants se repoussent, et les pôles sud aussi. En revanche, le pôle nord d'un aimant attire le pôle sud d'un autre aimant.

PERDS PAS LE NORD !

Pratique, la boussole ! Elle permet de trouver le nord, même en plein brouillard.
Les Chinois l'ont inventée il y a plus de 4 500 ans.
Et puisqu'on en parle dans un livre sur les aimants, c'est qu'elle fonctionne grâce à... un aimant !

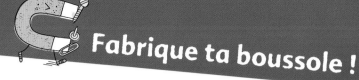
1 Frotte une dizaine de fois l'aimant sur l'épingle, toujours dans le même sens, pour l'aimanter.

Il te faut :
• un aimant
• une épingle
• du fil à coudre très fin
• du ruban adhésif

2 Découpe un morceau de fil long comme deux fois ton livre.

3 Avec du ruban adhésif, attache un bout du fil au milieu de l'épingle.

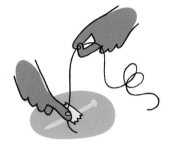

Vrai ou faux ?
Lorsqu'une boussole se trouve près d'un gros objet en fer, elle n'indique plus le nord.

Vrai. Vérifie-le avec ta boussole, en t'approchant d'un réfrigérateur. L'épingle se tournera vers le réfrigérateur.

4 Tiens l'autre bout du fil. Observe dans quelle direction l'épingle se stabilise. Bouge dans ta maison. Cette direction change-t-elle ?

L'épingle aimantée indique toujours la même direction, même quand tu bouges ! Tu as fabriqué une boussole. Voilà comment elle fonctionne : à l'intérieur de la Terre, il y a un noyau de fer, qui agit comme un aimant. La Terre est un aimant géant ! Or, tu sais que le pôle nord d'un aimant attire le pôle sud d'un autre aimant. Le pôle nord sur la Terre attire donc le pôle sud de ton épingle aimantée. Elle garde ainsi toujours la même direction et indique le nord.

UN AIMANT ÉLECTRIQUE

Ceci est un électro-aimant.
Lorsqu'un courant électrique
le traverse, il fonctionne comme
un aimant. La ferraille s'accroche
à lui. Dès que le courant s'arrête,
il cesse d'être un aimant
et la ferraille retombe.

1 Avec un aimant, vérifie que la vis et le trombone sont en fer.

Il te faut :
- une pile ronde de 1,5 volt
- un fil en cuivre de 60 cm, dénudé aux extrémités
- une grosse vis
- un trombone

2 Enroule le fil de cuivre autour de la vis. Fais dix tours. Pose la vis sur le trombone puis enlève-la : reste-t-il accroché ?

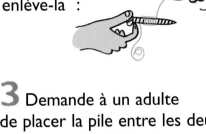

3 Demande à un adulte de placer la pile entre les deux extrémités du fil. Pendant ce temps, pose la vis sur le trombone. Reste-t-il accroché ? Et si on débranche la pile ?

Attention !

Pendant cette expérience avec la pile, les extrémités du fil chauffent vite. Attention de ne pas se brûler ! Il ne faut jamais réaliser cette expérience avec l'électricité d'une prise. C'est très dangereux ! Tu peux t'électrocuter.

Lorsqu'un courant électrique passe dans le fil, la vis devient un aimant ! Maintenant tu sais que, dans la vis en fer, il y a des millions de micro-aimants. Normalement, ils sont dirigés dans tous les sens : la vis n'agit pas comme un aimant. Mais quand l'électricité circule dans le fil, cela crée un champ magnétique. Les micro-aimants de la vis se mettent alors tous dans la même direction : elle devient un aimant. Dès que le courant s'arrête, les micro-aimants reprennent leur position de départ et l'aimantation cesse.

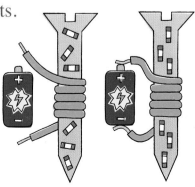

Et si, un jour,
il n'y avait plus d'aimants...

La guerre des robots bat son plein. Camille se protège derrière un bouclier-casserole. Soudain, Aurélien sort un pot de ketchup et le dirige vers Camille.
— Avec mon fulguro-aimant, j'attire ton bouclier en fer... Tu n'es plus protégée et je gagne la partie !
— Faux ! s'écrie Camille, car moi, j'ai un super-démagnétiseur ! Il annule les pouvoirs de tous les aimants. C'est moi qui gagne !

Aurélien, surpris, réfléchit quelques secondes.
— Ah oui ? Tu démagnétises tout ? Mais as-tu pensé aux oiseaux migrateurs ? C'est parce que la Terre est un gros aimant, qu'ils retrouvent leur chemin. Tu veux qu'ils soient perdus ?
— Rien à faire, tu as perdu !
— Alors voilà ce qu'on va faire, propose Aurélien. Si, pendant toute la journée, tu n'utilises pas un seul aimant, tu as gagné la partie.
— Ouais, facile...

Dans l'après-midi, sans faire attention, Camille allume la radio. Aurélien court l'éteindre.
— Ah non ! on a dit pas d'aimants. Tu sais pourtant qu'il y en a dans les haut-parleurs. Donc pas de radio, pas de télé, et pas de téléphone...
— Gnagnagna, râle Camille.

Un peu plus tard, Camille met en marche
l'ordinateur pour faire un jeu.
— Eh, pas d'aimant ! lui rappelle Aurélien.
Le disque dur est magnétique.
Ton super-démagnétiseur l'a détruit.
Impossible de jouer !
— Ça va, ça va, monsieur « je sais tout »...

En fin d'après-midi, Camille allume une lampe
pour lire. Inquiète, elle regarde Aurélien.
— Eh bien quoi, c'est une ampoule,
il n'y a pas d'aimant !
— Dans l'ampoule, non, admet Aurélien.
Mais j'ai lu que l'électricité qui arrive dans
la prise était faite avec des machines appelées
« alternateurs », et qu'elles contenaient
des électro-aimants...

— Bon, ça va, j'abandonne, finit pas lâcher
Camille... Tu as gagné...
— Hé, Camilou ! lance Aurélien, victorieux.
La prochaine fois que tu utilises ton
super-démagnétiseur, ne le fais pas avec
quelqu'un qui vient juste de lire un livre
sur les aimants !

Crédit photographique

Le son

Steve Cole/Getty Images - pages 4/5
Colette Masson/Enguerrand - page 6
Spot/Photononstop - page 8
Index Stock Photography, Inc./Vloo - page 10
Jeffrey L. Rotman/Bios - page 12
Global Picture/Hoaqui - page 14
S. Dalton/OSF/ Bios - page 16
M. Garnier/Hoaqui - page 18
Stone/Getty Images - page 20
Cité de la Musique - page 22

La lumière

Photo Bank Yokohama / Hoa Qui - pages 26/27
Owen Franken / Corbis - page 28
Taxi / Getty Images - page 30
Photex / Z. Gold / Zefa / Hoa Qui - page 32
Reinroff / Hoa Qui - page 34
Lluis Real / Age Fotostock / Hoa Qui - page 36
Stone / Getty Images - page 38
Teresa Ponseti / Age Fotostock / Hoa Qui - page 40
Stone / Getty Images - page 42
François Le Diascorn / Rapho - page 44
Gordon Garradd / SPL / Cosmos - page 46
John Warden / Cosmos - page 48
Patrick Lorne / Jacana - page 50
Ateliers Magazine - page 52

L'électricité

Dennis Degnan/Corbis - page 58
TH. Werderer/Musée Eletropolis - page 60
E. Nouat/La Médiathèque EDF - page 62
Pascal Faligot/Musée des Arts et Métiers - page 64
Tacevski/Vu - page 66
Bob Rowan/Progressive Image/Corbis - page 68
Claude Caroly/La Médiathèque EDF - page 70
Marc Marceau/La Médiathèque EDF - page 72
Mauritius/Photononstop - page 74

Les aimants

Werner H. Müller / Corbis - pages 78/79
Laurent Vautrin / Mango - page 80
Pascal Nieto / Rea - page 82
Photonica - page 84
Stammers / SPL / Cosmos - page 86
James Leynse / Rea - page 88
Philippe Poulet / Mission / Getty - page 90
Alex Bartel / Science Photo Library / Cosmos - page 92